EL HONOR O LA MUERTE

Coordinación de la colección: Mariana Mendía
Edición: Mónica Romero Girón
Diseño: Javier Morales Soto

El honor o la muerte

PRIMERA EDICIÓN: octubre de 2016

Insurgentes Sur 1886. Col. Florida.
Del. Álvaro Obregón.
C. P. 01030. México, D. F.

Ediciones Castillo forma parte del Grupo Macmillan.

www.grupomacmillan.com
www.edicionescastillo.com
infocastillo@grupomacmillan.com
Lada sin costo: 01 800 536 1777

Miembro de la Cámara Nacional de la Industria Editorial Mexicana.
Registro núm. 3304

ISBN: 978-607-621-635-4

Impreso en México / *Printed in Mexico*

Impreso en los talleres de
Editorial Impresora Apolo, S. A. de C. V.
Centeno 150-6. Col. Granjas Esmeralda.
Del. Iztapalapa. C. P. 09810. México D. F.
Octubre de 2016.

Toño Malpica • O'Kif

EL HONOR O LA MUERTE

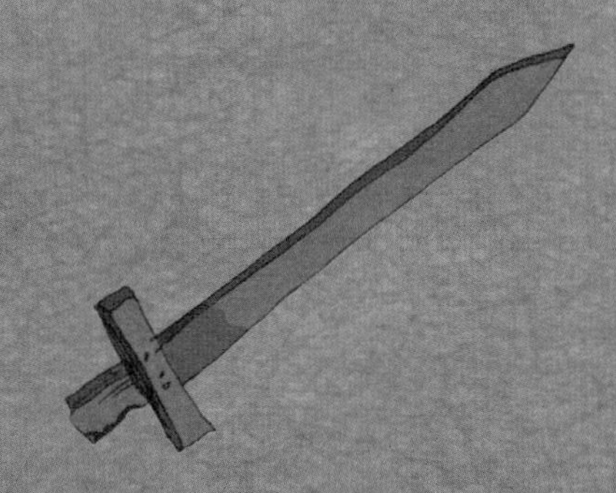

Para Bruno y Marifer, en la cueva de los osos
y la arena de las luchas
T.M.

A mi padre que, seguramente como yo (padre también),
se ha sentido identificado con este maravilloso texto
O'Kif

"Este día terminará de maravilla", pensó Capitán Sanguinario al concluir con sus obligaciones.

NEO
12

Había sido un día ajetreado, pero aún faltaban varias horas para que anocheciera. Así que decidió volver temprano a casa y, en compañía de Despiadado Morgan, empuñar la espada y dar la batalla.

Después de ponerse cómodo,
comió algo para reponer fuerzas.
Fue a reunir lo necesario.
Su casco.
Su armadura.
Su espada.

Sin embargo, algo no estaba bien. Lo notó en los ojos de Bruja Come Niños y Calaca Repulsiva. También había algo extraño en el semblante de Monstruo Infame. Todos parecían querer confortarlo en vez de querer pelear a muerte con él, como tenía que ocurrir.

Algo no estaba bien.
Fue hasta que buscó
a Despiadado Morgan que
Capitán Sanguinario comprendió.
En compañía de sus enemigos
mortales lo buscó por todos lados.
Por cada rincón. Sin éxito.

BIEKING

Hasta que, a través de una ventana, lo descubrió.
Y supo que al fin había ocurrido lo que temía desde el primer momento en que se conocieron.
Entendió que Bruja Come Niños prefiriera confortarlo a enfrentarlo en una lucha feroz por su vida. Comprendió el brillo en los ojos de Vampiro Bestial.
La penosa ternura en el rostro de Encarnizado Fantasma...

Despiadado Morgan al fin había crecido.
Había crecido. Y, por lo tanto, había decidido pelear
otras batallas en compañía de otros camaradas.

Así que Capitán Sanguinario,
con el corazón en un puño,
decidió que todo había
terminado.

Decidió
que no había…

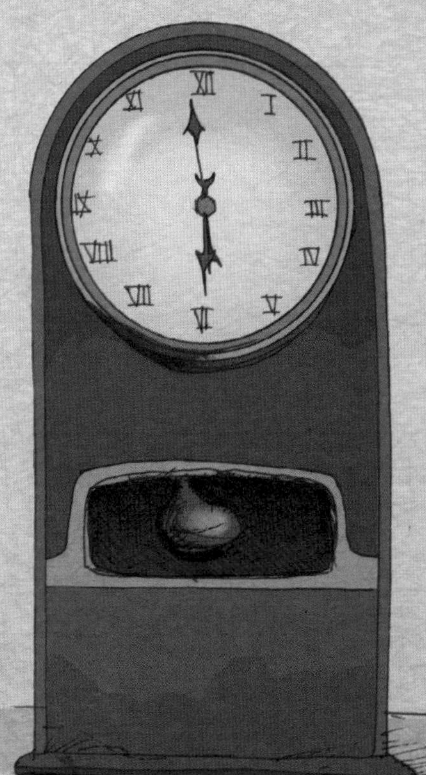

Pero Monstruo Infame no se lo permitió.
Ni ninguno de sus enemigos mortales.
Fue Bruja Come Niños quien lo tomó de la mano para indicarle el camino, pues ella sabía que, con el implacable paso del tiempo, también había llegado otro momento.

... nada más que hacer.
Y, con un suspiro,
optó por despojarse
de lo necesario.
Su espada.
Su armadura.
Su casco.

El momento de recuperar un tesoro en la memoria de Capitán Sanguinario.
El momento de encender una luz que había estado apagada por años y años en su interior.

Y de repente, como por arte de magia, surgió en su mente un nombre legendario. Un nombre mítico. Un nombre proverbial. Comandante Brutal.

Y Capitán Sanguinario recordó.

Recordó las incontables batallas codo a codo con su épico camarada de antaño. Y comprendió que también Comandante Brutal, en algún momento había lamentado la partida de Capitán Sanguinario.

LUCHA
LIBRE

Y acaso sus enemigos mortales lo hubieran
confortado sabiamente, increíblemente,
en aquel entonces. Pues ellos sabían,
mejor que nadie, que algún día,

aunque pasaran años y años,

al final…

…regresaría.

Y pelearían de nuevo.
Codo a codo.
Audaces y sin dar tregua.

TUK
SHAFFT

"Este día ha terminado de maravilla", pensó Capitán Sanguinario cuando con su espada hizo caer al abismo a Monstruo Infame.

Al tiempo que una luz dormía al interior de Despiadado Morgan para ser despertada algún día.

POW
BANG
POW
PAF
POW

PAF
POW
BANG
PAF

POW
BANG
POW
PAF
POW